Burbujita, ¡JO! ¡JO! ¡JO!

Un libro Navideño

Escrito por Misty Black
Ilustrado por Ana Rankovic
Traducido por Natalia Sepúlveda
www.BerryPatchPress.com

Burbujita, ¡Jo! ¡Jo! ¡Jo! Un libro navideño
Aventuras de burbujitas

Para obtener permiso de la editorial, visitas escolares y lecturas de cuentos/ firmas, contáctenos a mistyblackauthor@gmail.com
Escrito por Misty Black
Ilustrado por Ana Rankovic
Traducido por Natalia Sepúlveda

ISBN Tapa rústica 978-1-951292-76-8
ISBN Tapa dura 978-1-951292-77-5
ISBN Audiolibro 978-1-951292-78-2

Library of Congress Control Number: 2021949152
(Número de control de la Biblioteca del Congreso)

Primera Edición 2021

Berry Patch Press

www.berrypatchpress.com

Dedicado a mis tres pequeños amantes de las burbujas. Espero que siempre encuentren la felicidad en las cosas más pequeñas.

– MB

Traducido de la versión en inglés/
Translated from the English version:
Bubble Head, HO! HO! HO! Merry Clean Christmas!
Por/By Misty Black
Traducido por/ Translated by Natalia Sepúlveda

Bubble Head.
HO! HO! HO!
Merry CLEAN CHRISTMAS!
Misty Black
Ana Rankovic

Cada temporada NAVIDEÑA
es una aventura divertida
a la hora de bañarse.

Así que agarra tus
burbujas y sigue el juego.
¡Vamos a divertirnos hoy!

y hago . . .

plof, plas,
glu, glu, glu,
plop, plop, plop . . .
¡Yupi!

plof, plas,
glu, glu, glu,
plop, plop, plop...
¡Yupi!

El DOMINGO,
soy un DUENDE
feliz, con el espíritu
navideño.

Reviso mi lista para ver qué niños recibirán un PEDAZO de CARBÓN.

El LUNES,
soy un LOBO
dentro de un
paraíso invernal.

Puse las DECORACIONES para todas las fiestas que planeamos.

y hago . . .

plof, plas,
glu, glu, glu,
plop, plop, plop . . .

¡auuuuuuu!

plof, plas,
glu, glu, glu,
plop, plop, plop . . .

¡auuuuuuu!

El MARTES, soy un arbolito MÁGICO de Navidad rodeado de regalos envueltos.

Me pregunto qué
habrá dentro, pero
solo SANTA lo sabe.

El MIÉRCOLES, soy un MUÑECO de nieve
en un día frío y ventoso.

Si no sostengo bien mi BUFANDA,
el viento se la llevará.

y hago . . .

plof, plas,
glu, glu, glu,
plop, plop, plop . . .

¡Brrrrrrrr!

plof, plas,
glu, glu, glu,
plop, plop, plop . . .

¡Brrrrrrrr!

El JUEVES, soy un niño JOVIAL porque me encanta celebrar.

Y le pido a mami un poco más de CHOCOLATE CALIENTE.
"¡Con crema extra encima, por favor!"

El VIERNES, soy un
reno festivo VOLADOR.

El cascabel en mi
nariz TINTINEA.
Oye, ¿y de dónde
habrá salido?

y hago . . .

plof, plas,
glu, glu, glu,
plop, plop, plop . . .

¡tilín, tilín!

plof, plas,
glu, glu, glu,
plop, plop, plop...

¡tilín, tilín!

El SÁBADO, soy SANTA y estoy muy feliz.

Estoy listo para las FIESTAS.
Mi trineo está preparado para salir.
Espero que te hayas portado bien este año:
¡Te veré en NOCHEBUENA!

y hago . . .

plof, plas,
glu, glu, glu,
plop, plop, plop . . .

¡JO! ¡JO! ¡JO!

plof, plas,
glu, glu, glu,
plop, plop, plop . . .

¡JO! ¡JO! ¡JO!

Sobre la autora:

Misty Black cree en la importancia de la familia y las tradiciones familiares. Algunas de sus memorias favoritas son pasar la Navidad con sus abuelos.

La Navidad es su fiesta favorita.

Nota de la autora:

"Me encanta saber de mis lectores. Por favor considera enviarme un correo electrónico o dejar una reseña honesta. Aprecio mucho su apoyo".

mistyblackauthor@gmail.com

Sigue a Misty @mistyblackauthor.

Para recibir promociones, visiten a berrypatchpress.com.

Día ____________
Toma un baño
Cepíllate los dientes
Usa el baño
Ponte el pijama
Amor de abuelita
MISTY BLACK
Lee un libro
Recoge los juguetes
Descansa y dulces sueños

Día ___________
Cepíllate los dientes
Toma un baño
Usa el baño
PACO el PEREZOSO le encanta ser DIFERENTE
Misty Black
Lee un libro
Ponte el pijama
Recoge los juguetes
Descansa y dulces sueños

Libros por la autora berrypatchpress.com

Misty Black
Berry Patch Press

UNICORNS, MAGIC, AND SLIME, OH MY!
Fizzle Fun
my MOM the FAIRY

Grandmas Are for Love
MISTY BLACK
MARINA BATRAK
With LOVE Collection

When You Feel Better
A Get Well Soon Gift
MARINA BATRAK

You Taught Me Love
Written by MISTY BLACK
Artwork by MARINA BATRAK

Amor de abuelita
MISTY BLACK
Ilustrado por MARINA BATRAK

Cuando te sientas mejor
MISTY BLACK
MARINA BATRAK

Me enseñaste a querer
MISTY BLACK
MARINA BATRAK
Con AMOR

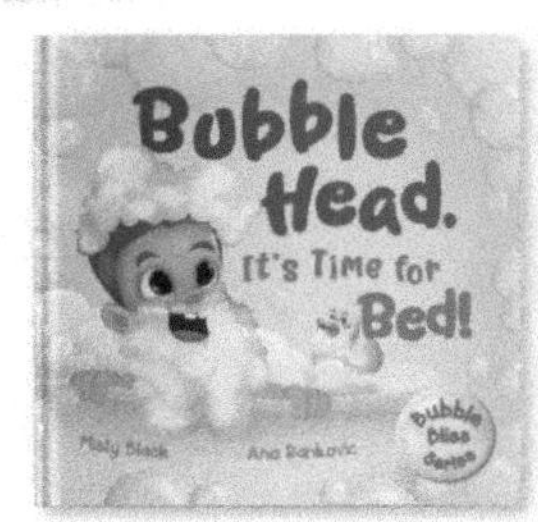
Bubble Head. It's Time for Bed!
Misty Black
Ana Rankovic

Bubble Head. HO! HO! HO!
Misty Black
Ana Rankovic

ZAC el ZORRILLO aprende a pedir perdón
Por Misty Black
ZAC Y SUS AMIGOS
¿Puede PEDRO el PUERCOESPÍN controlar su MAL GENIO?

ÓSCAR el OSO PARDO aprende a ser agradecido
Misty Black

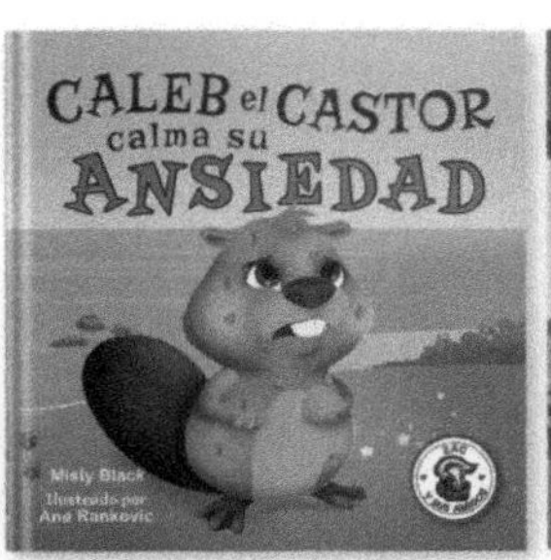
CALEB el CASTOR calma su ANSIEDAD
Misty Black
Ana Rankovic

A PACO el PEREZOSO le encanta ser DIFERENTE

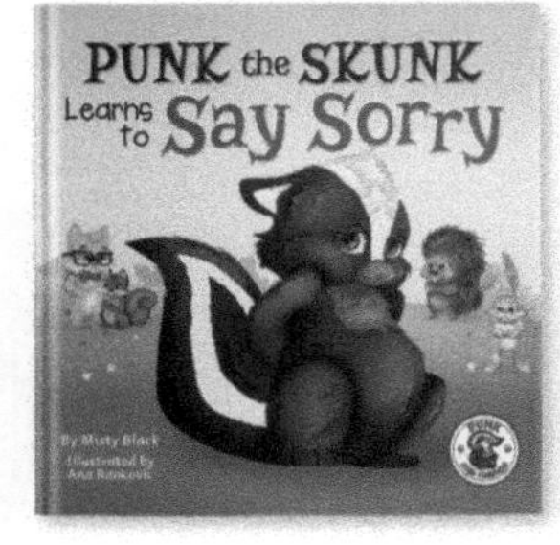
PUNK the SKUNK Learns to Say Sorry
By Misty Black
Ana Rankovic

Can QUILLIAM Learn to Control His TEMPER?
Misty Black
Ana Rankovic

GRUNT the GRIZZLY Learns to Be Grateful
Misty Black
PUNK AND FRIENDS
BRAVE the BEAVER Has the WORRY WARTS

SLOAN the SLOTH Loves Being DIFFERENT
A Self-Worth Story
Misty Black
Ana Rankovic

CPSIA information can be obtained
at www.ICGtesting.com
Printed in the USA
BVHW021340081121
621080BV00019B/695

9 781951 292768